D0571289

Ejercicios de Gramática

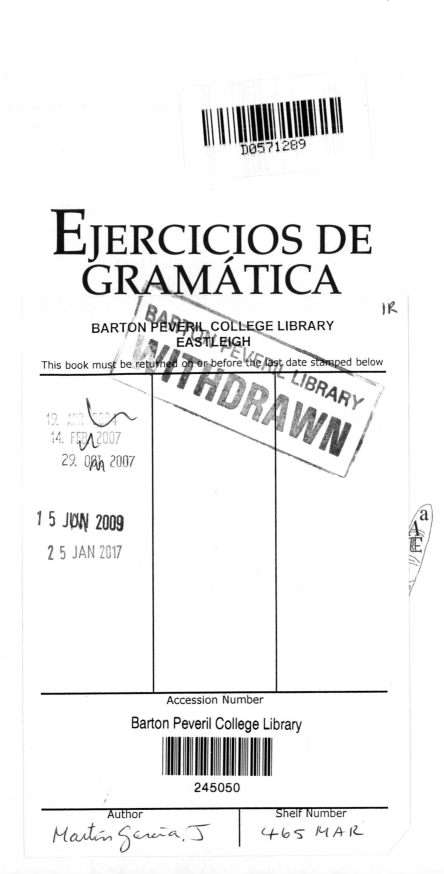

Equipo de la Universidad de Alcalá
Dirección de la colección: María Ángeles Álvarez Martínez

Programación: María Ángeles Álvarez Martínez
　　　　　　　Ana Blanco Canales
　　　　　　　María Jesús Torrens Álvarez

Autora: Josefa Martín García

© Del texto: Alcalingua, S. R. L., Universidad de Alcalá, 2001
© De los dibujos: Grupo Anaya, S. A., 2001
© De esta edición: Grupo Anaya, S. A., 2001
　　　　　　　　Juan Ignacio Luca de Tena, 15 - 28027 Madrid

Depósito legal: M-8310-2001
ISBN: 84-667-0060-9
Printed in Spain
Imprime: Coimoff, S. A. Madrid

Equipo editorial
Edición: Milagros Bodas, Sonia de Pedro
Equipo técnico: Javier Cuéllar, Laura Llarena
Ilustración: El Gancho (Tomás Hijo, José Zazo y Alberto Pieruz)
Cubiertas: Taller Universo: M. Á. Pacheco, J. Serrano
Diseño y realización de interiores: JV, Diseño Gráfico, S. L.

Expresamos nuestro agradecimiento al Vicerrectorado de Investigación de la Universidad de Alcalá, por el proyecto subvencionado "Frecuencia de uso y estudio del léxico con especial aplicación a la enseñanza del español como lengua extranjera" (H004/2000); y muy especialmente al Vicerrector de Extensión Universitaria de esta Universidad, Profesor Antonio Alvar Ezquerra, por haber acogido con entusiasmo nuestro proyecto y habernos prestado desde sus comienzos su inestimable apoyo y ayuda.

Se incluyen en los materiales complementarios del método SUEÑA, diseñado para la enseñanza del español a extranjeros desde el Nivel Inicial hasta el Nivel de Perfeccionamiento, estos *Ejercicios de gramática* –dentro de la colección **PRACTICA**–, obra concebida como material de refuerzo en el aula, pero que además puede servir como libro de autoaprendizaje, con independencia del método SUEÑA.

Este libro se compone de sesenta ejercicios que se corresponden con el Nivel Medio. El orden de los ejercicios se ha establecido por el grado de dificultad. No obstante, se ofrece un índice temático para el estudiante que quiera reforzar cuestiones concretas. Al final del libro se dan las soluciones y, además, cada nueve actividades se ha incluido una autoevaluación de respuesta múltiple. Los diez últimos ejercicios sirven de transición al nivel avanzado.

ÍNDICE TEMÁTICO

Adjetivos

        ser/estar **19**

        superlativo **7**

Estar

        estar/ser **1, 19, 48**

        estar/ser/hay **31, 49**

        estar + preposición **48**

Estilo indirecto **43, 53**

Género **12, 23, 46**

Oraciones

        causales **17**

        condicionales **56**

        finales **54**

        temporales **44, 55**

Perífrasis **4, 21, 37, 51**

Preposición

        expresiones fijas **32**

        por/para **13**

        ser/estar + preposición **48**

        preposición + pronombre interrogativo **8**

        preposición con verbos **26, 32**

        varias **52**

Pronombres interrogativos **8**

Pronombres personales

        complemento directo **5, 11, 22, 36, 45, 57**

        complemento indirecto **11, 22, 36, 45, 57**

        sujeto **5**

        verbos pronominales **26**

Pronombres posesivos **18**

Pronombres recíprocos **29**

Ser

        ser/estar **1, 19, 48**

        ser/estar / hay **31, 49**

        ser + preposición **48**

Tiempo (expresiones de tiempo) **4, 9, 47**

Verbos
condicional simple **34, 42, 43, 56**
condicional compuesto **56**
futuro compuesto (perfecto) **38, 41**
futuro simple **2, 15, 27, 33, 34, 43, 53, 56**
imperativo **24, 39, 42**
pluscuamperfecto de indicativo **35, 44**
pluscuamperfecto de subjuntivo **56**
presente de indicativo **2, 14, 27, 53, 58**
presente de subjuntivo **14, 16, 25, 28, 54, 55, 58**
pretérito imperfecto de indicativo **3, 6, 53**
pretérito imperfecto de subjuntivo **14, 56**
pretérito indefinido **2, 3, 6, 9, 14, 27**
pretérito perfecto de indicativo **9, 45**
varios tiempos **47, 53, 56**

Corrección de errores **59**

Autoevaluación **10, 20, 30, 40, 50, 60**

1

Escribe *ser* o *estar* en las siguientes oraciones. Utiliza los verbos en presente.

a) La lavadora .... en la cocina.

b) Tú .... médico.

c) El elefante .... un animal grande.

d) Nosotros .... en el Museo del Prado.

e) Picasso .... un pintor español famoso.

f) El examen .... en el aula 5.

g) El examen .... el día 3 de abril.

h) Estas mesas .... de madera.

i) ¿Qué hora ....? .... las tres.

j) ¿De quién .... esta copa? .... mía.

k) Vosotros .... en la cama.

Completa el cuadro escribiendo los verbos en la primera persona del singular *(yo)*.

	Presente indicativo	Pretérito indefinido	Futuro simple
ver	veo	vi	veré
conducir			
tener			
ser			
decir			
vestir			
ir			
poder			
hacer			
querer			

Escribe los siguientes textos en pasado. En el primero debes usar el *pretérito indefinido (yo canté)*, por ser una biografía; en el segundo, utiliza el *pretérito imperfecto (yo cantaba)*, porque es una descripción de una casa.

1) El poeta Juan Ramón Jiménez nace en Moguer (Huelva) en 1881. Estudia Derecho, pero abandona sus estudios y se traslada a Madrid. En esta ciudad se dedica a la poesía. En 1905 vuelve a Moguer y escribe *Platero y yo*. En 1913 conoce a Zenobia Camprubí en Madrid y se casa con ella en Nueva York. Los dos viven en Madrid hasta la Guerra Civil. A partir de 1936 recorren distintos países americanos y se quedan definitivamente en Puerto Rico. En 1956 recibe el Premio Nobel. En 1958 muere en Puerto Rico.

2) La casa de los abuelos de Ana está situada en un valle. Es un viejo caserón en el centro del pueblo. Las paredes exteriores son de piedra y hay adornos de madera. Por dentro, el techo está muy alto y la casa está fría y oscura. Lleva varios meses cerrada y huele mal. Las paredes tienen alguna telaraña y hay mucho polvo sobre los muebles. La casa tiene muebles antiguos. En algunos armarios hay todavía ropa vieja. Ana va allí en las vacaciones de verano y le gusta mucho jugar con tantas cosas viejas.

Cuenta con qué frecuencia hace Ana las siguientes actividades. Utiliza las expresiones de tiempo que aparecen en el cuadro y la *perífrasis soler + infinitivo*.

ir al cine	tres veces por semana
llamar a su madre por teléfono	todos los días
hacer gimnasia	los lunes
viajar a Asia	una vez al año
hablar con sus clientes	muchas veces al día
pagar con tarjetas de crédito	pocas veces
salir de tapas con los amigos	frecuentemente
comer en restaurantes caros	casi nunca
montar a caballo	con frecuencia

EJEMPLO: *Ana suele ir al cine tres veces por semana.*

....

....

....

....

....

....

....

5

Sustituye la parte subrayada por un *pronombre personal*.

a) <u>Carmen y su madre</u> salieron de casa a las 10.

....

b) He visto <u>a mi hermano</u> en su casa.

....

c) Compraron <u>un coche</u> ayer.

....

d) Me gustan <u>los niños</u>.

....

e) Construiremos <u>una casa</u> en el campo.

....

f) Ayer habló <u>la profesora</u> conmigo.

....

g) Han venido <u>muchos chicos</u> a mi fiesta de cumpleaños.

....

h) Han escrito <u>muchas cartas</u> esta tarde.

....

i) Vendisteis <u>el coche y la moto</u> muy pronto.

....

j) Me ha llamado por teléfono <u>un amigo</u>.

....

Cuenta la historia del jugador de fútbol Pepe Gol utilizando el *pretérito indefinido* y el *pretérito imperfecto de indicativo*.

a) 1958:
  • Nacer

....

b) 1963 - 1970:
  • Jugar al fútbol con sus amigos
  • Estudiar en el colegio

....

c) 1970:
  • Estudiar en el colegio
  • Empezar a jugar en un equipo juvenil

....

d) 1971 - 1972:
  • Ganar su equipo varios partidos

....

e) 1973:
  • Jugar en un partido
  • Tener una lesión en la rodilla

....

f) 1974:
- Volver a la competición

....

g) 1975:
- Entrar en un equipo importante

....

h) 1976 - 1986:
- Ser un jugador muy famoso
- Ser dos veces el mejor jugador del mundo

....

i) 1987:
- Estar en lo más alto de la fama
- Comenzar los problemas con su salud

....

j) 1989:
- Anunciar su retirada del fútbol

....

7

Hablemos de España. Utiliza el *superlativo* para construir oraciones con las siguientes secuencias.

a) Picasso - pintor - conocido

> EJEMPLO: *Picasso es el pintor más conocido.*

b) *Las Meninas* - cuadro - importante

> ....

c) La paella - comida - exquisita

> ....

d) Sevilla - ciudad - alegre

> ....

e) Madrid - ciudad - habitada

> ....

f) Induráin - deportista - bueno

> ....

g) El Tajo - río - largo

> ....

h) El Guggenheim de Bilbao - museo - moderno

> ....

i) La *Dama de Elche* - escultura - antigua

> ....

j) La sequía - desgracia - mala

> ....

Une los *pronombres interrogativos* con una *preposición* y utilízalos en las oraciones.

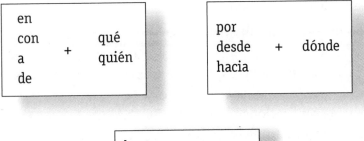

en		
con	+	qué
a		quién
de		

por		
desde	+	dónde
hacia		

hasta	+	cuándo
desde		

a) ¿..................... .... ha venido Juan a la boda? Con Ana.

b) ¿..................... .... estudias español? Desde los cuatro años.

c) ¿..................... .... haces la mahonesa? Con huevos y aceite.

d) ¿..................... .... irás a Sevilla? Por la autopista.

e) ¿..................... .... estarás trabajando? Hasta finales de mes.

f) ¿..................... .... viajarás? En avión.

g) ¿..................... .... huyeron los delincuentes? Hacia el metro.

h) ¿..................... .... están hablando? De Manolo.

i) ¿..................... .... está hecha esta mesa? De metal.

j) ¿..................... .... has visto en la fiesta? A Felipe.

k) ¿..................... .... me llamas por teléfono? Desde Cádiz.

Escribe los verbos del siguiente texto en *pretérito perfecto de indicativo* (*yo he cantado*) o en *pretérito indefinido* (*yo canté*) según corresponda.

Juan habla de sus últimos veinte años.

"Durante estos diez últimos años, (1) .... (*conseguir, yo*) muchos éxitos profesionales. A los catorce años, (2) .... (*ir*) a la escuela secundaria. Durante tres años, (3) .... (*estudiar*) mucho y (4) .... (*tener*) muy buenas calificaciones. Después, (5) .... (*hacer*) el examen de acceso a la universidad y (6) .... (*quedar*) el primero, así (7) .... (*poder*) realizar la carrera de Medicina. (8) .... (*estar*) estudiando durante seis años Medicina y (9) .... (*aprender*) muchas cosas.

Cuando (10) .... (*terminar*) la carrera, (11) .... (*querer*) especializarme. Hace diez años, (12) .... (*aprobar*) el examen para trabajar en un hospital. Allí (13) .... (*poder*) hacer mi tesis doctoral sobre cardiología. También (14) .... (*visitar*) universidades y hospitales de Francia y de Estados Unidos. Hace cuatro años (15) .... (*terminar*) mi tesis y un año después la (16) .... (*publicar*). El año pasado (17) .... (*escribir*) un nuevo libro sobre los avances médicos.

Este año (18) .... (*tener*) dos ofertas para trabajar en otros hospitales, pero no (19) .... (*querer*) abandonar el mío. La semana pasada me (20) .... (*llamar, él*) el director de un periódico para hacerme una entrevista. Esta semana (21) .... (*hablar, yo*) con él sobre los avances en cardiología. Esta mañana (22) .... (*leer*) mi entrevista en el periódico."

¿*Qué expresiones de tiempo* en el texto anterior acompañan al pretérito indefinido y cuáles al pretérito perfecto?

Pretérito indefinido: ....

Pretérito perfecto: ....

Autoevaluación. Elige la respuesta correcta.

1. Este jersey .... de lana.
   a) es b) está c) hay

2. El coche .... nuevo cuando lo compramos.
   a) pareció b) parecía c) parecerá

3. .... salisteis de la caseta rápidamente.
   a) ustedes b) ellos c) vosotros

4. Cuando Ana .... en el colegio, se divertía mucho.
   a) estuvo b) estará c) estaba

5. El gazpacho es .... mejor comida del verano.
   a) la b) el c) un

6. A Jaime .... he visto en el colegio.
   a) los b) la c) lo

7. Ayer .... en un restaurante cerca del parque.
   a) estábamos b) estaremos c) estuvimos

8. Las tazas .... en el armario.
   a) son b) están c) hay

9. .... llegó el primero a la reunión.
   a) tú b) vosotros c) usted

10. Cuando éramos pequeños, ... a nuestros abuelos
    frecuentemente.
    a) visitamos b) visitábamos c) visitaremos

11. ¿........................ dónde han salido los coches? Por aquella puerta.
    a) hacia b) por c) en

12. Esta mañana le .... por teléfono a las seis
    a) han llamado b) llamarán c) llamaban

13. Miguel .... muy contento porque ha aprobado el examen.
    a) es b) está c) hay

14. ¿Dónde has puesto el bolso? .... he puesto encima de la
    mesa.
    a) le b) la c) lo

15. A los siete años, Carmen .... rubia con ojos azules. Ahora a los diez, es muy morena.

      a) era   b) fue   c) será

16. La semana pasada .... en una exposición de Antonio López.

      a) hemos estado   b) estuvimos   c) estábamos

17. ¿........................ quién hablas? De Manolo.

      a) a   b) con   c) de

18. Le gustan ....

      a) vosotros   b) ellos   c) nosotros

19. El cumpleaños .... en casa de Ana a las cinco de la tarde.

      a) será   b) estará   c) habrá

20. Estamos en el mes de julio y este año todavía no se .... de vacaciones.

      a) fue   b) iba   c) ha ido

11

Sustituye las partes subrayadas por un *pronombre personal*.

lo/le	la	los	las

a) Busco <u>un coche rápido.</u>

....

b) Han visto <u>varios anuncios</u> en televisión.

....

c) Hemos perdido <u>las maletas</u> en el aeropuerto.

....

d) No encuentro <u>la llave de la puerta.</u>

....

e) Llamaré <u>a Juan</u> por teléfono.

....

f) Vi <u>a Susana</u> en el supermercado.

....

le   les

g) Regalamos un libro <u>a Luisa.</u>

....

h) Han dado un premio <u>a mis hermanas.</u>

....

i) Escribiste varias cartas <u>a tus amigos.</u>

....

j) Este libro interesa <u>a Pedro.</u>

....

Haz lo mismo en las oraciones siguientes.

1) Compramos <u>una casa</u> al lado del mar.

....

2) Mi padre vendió el coche <u>a un amigo.</u>

....

3) Busqué <u>a Charo y a Jesús</u> en la fiesta.

....

4) Regalé una muñeca <u>a Ángela.</u>

....

5) Enviaron un paquete a <u>mis padres.</u>

....

6) Nombraron <u>a Fernando</u> presidente.

....

En español algunas palabras de género femenino acaban en -*a* y llevan los artículos *el* y *un*, como las del género masculino.

femenino: *el agua, el aula, el hada*
masculino: *el aceite, el árbol*

a) ¿Sabes cuál es la regla?

b) ¿Sucede lo mismo con todas las palabras de género femenino que acaban en -*a* y empiezan por *a*-?

c) Pon el artículo apropiado.

.... habla	.... ave	.... acta
.... aceituna	.... alma	.... harina
.... adivinanza	.... aduana	.... adolescencia
.... arruga	.... ala	.... agenda

d) Ahora, escríbelos en plural.

.... hablas	.... aves	.... actas
.... aceitunas	.... almas	.... harinas
.... adivinanzas	.... aduanas	.... adolescencias
.... arrugas	.... alas	.... agendas

Completa las oraciones con las preposiciones *por* o *para*.

a) El director del banco compró ordenadores .... los empleados.

b) Estamos de vacaciones .... cinco semanas.

c) Compré un coche .... tres millones de pesetas.

d) Termino el libro .... el 30 de octubre.

e) Viaja en coche .... seguridad.

f) Trabaja .... ganar dinero.

g) Come mucho .... engordar.

h) Engorda .... comer mucho.

i) Me llamó .... teléfono.

En la mayoría de los verbos irregulares es posible deducir la forma irregular de otras formas. Fíjate en los siguientes paralelismos.

Presente de indicativo
  yo digo ---->

Presente de subjuntivo
  yo diga

Pretérito indefinido
  yo tuve ---->
  él durmió ---->

Pretérito imperfecto de subjuntivo
  yo tuviera, tuviese
  yo durmiera, durmiese

Teniendo esto en cuenta, completa los cuadros.

Infinitivo	Presente de indicativo	Presente de subjuntivo
	yo traigo	
	yo vuelvo	
	yo pienso	
	yo nazco	
	yo hago	
	yo conduzco	
	yo pido	
	yo vengo	
	yo oigo	

Infinitivo	Pretérito indefinido	Pretérito imperfecto de subjuntivo
	yo supe	
	yo pude	
	yo dije	
	yo vine	
	yo traduje	
	yo construí / él construyó	
	yo hice	
	yo quise	
	yo leí / él leyó	

¿Qué hará Ana dentro de muchos años? Utiliza *el futuro simple (yo cantaré)* para escribir sus planes. Puedes utilizar las oraciones del recuadro.

- Salir en muchos periódicos
- Ser la actriz principal de una película de mucho éxito
- Conducir coches caros
- Llevar joyas caras
- Hacerle muchas entrevistas

- Vestir trajes lujosos
- Casarse con un hombre atractivo y rico
- Ganar un Oscar
- Salir con hombres muy guapos
- Vivir en una mansión

1

EJEMPLO: *Ana será la actriz principal de una película de mucho éxito.*

2

....
....
....
....

3

....
....
....
....

4

....
....
....
....

5

6

....
....
....
....

....
....
....
....

....
....
....
....

....
....
....
....

....
....
....
....

Escribe con otras palabras las siguientes oraciones. Utiliza las estructuras con subjuntivo del recuadro.

```
quizás
        +  subjuntivo
tal vez
```

a) Creo que iré contigo de compras.

> EJEMPLO: *Quizás vaya contigo de compras.*
>
> *Tal vez vaya contigo de compras.*

b) Supongo que aprobaré el examen.

....

c) No estoy seguro, pero pienso que conseguiré el trabajo.

....

d) Trabajo mucho y podré comprarme un buen coche.

....

e) Terminaré el informe para el jueves, eso espero.

....

f) Soy optimista: venderé la casa fácilmente y conseguiré mucho dinero.

....

Ahora escribe las oraciones anteriores utilizando la estructura *es posible que + subjuntivo*. Fíjate en que todas las construcciones de este ejercicio indican posibilidad.

> EJEMPLO: *Es posible que vaya contigo de compras.*
>
> 1) ....
>
> 2) ....
>
> 3) ....
>
> 4) ....
>
> 5) ....

Une las oraciones utilizando la partícula *causal* que se indica.

a) Lloro. Estoy muy triste.

(porque)

        EJEMPLO: *Lloro porque estoy muy triste.*

b) Fernando hace las maletas. Se va de vacaciones.

(ya que) ....

c) Paco estudia. No quiere suspender.

(como) ....

d) Luis va al fútbol. Le gusta mucho este deporte.

(puesto que) ....

e) Come muy poco. No quiere engordar.

(como) ....

f) Mi hermano va a la playa. Quiere ponerse moreno.

(ya que) ....

g) El amigo de Felipe me ha arreglado el coche. Sabe mecánica.

(puesto que) ....

h) Antonio tiene sueño. Se levanta muy temprano.

(ya que) ....

i) Piluca se pinta los labios. Quiere estar muy guapa.

(porque) ....

j) Carmen no tiene dinero. Ha comprado un piso.

(como) ....

Contesta las siguientes preguntas utilizando un *pronombre posesivo*.

mío, -a, -os, -as
tuyo, -a, -os, -as
suyo, -a, -os, -as
nuestro, -a, -os -as
vuestro, -a, -os, -as
suyo, -a, -os, -as

a) ¿Es este libro de Juan?

   EJEMPLO: *Sí, es suyo.*

b) ¿Son estas camisas de Luis? Sí,...

c) ¿Es este coche de nosotros? Sí,...

d) ¿Son estas cartas para mí? Sí,...

e) ¿Es esta casa de Ana y Luis? Sí,...

f) ¿Es esta silla para ti? Sí,..

g) ¿Son estas maletas de Adolfo y Miguel? Sí,..

h) ¿Es esta tienda de campaña de vosotros? Sí,.......................................

i) ¿Es este apartamento de Luisa y Ana? Sí,...

j) ¿Son estos periódicos de Carmen? Sí,...

19

Los siguientes adjetivos pueden ir con *ser* y *estar*. En algunos casos cambia poco el significado (1), pero en otros cambia totalmente (2).

(1) *ser gordo* > desde el nacimiento
     estar gordo > antes no estaba gordo

(2) *ser listo* = "ser inteligente"
     estar listo para = "estar preparado para"

Teniendo esto en cuenta, clasifica en dos grupos los adjetivos del recuadro.

> alto orgulloso
> vivo guapo nuevo
> triste amable bueno
> aburrido suave

Significado parecido: *gordo* ....

Significado distinto: *listo* ....

Completa con *ser* y *estar* las siguientes oraciones.

a) Juan ha tenido un accidente muy peligroso, pero .... vivo.

b) Todavía no me he puesto estos pantalones desde que los compré. .... nuevos.

c) No se puede hablar con él porque siempre .... muy orgulloso.

d) Con ese vestido nuevo, ... *(tú)* muy guapa.

e) ¡Cuánto ha crecido el niño! .... muy alto.

f) No ha hecho daño a nadie nunca. .... muy bueno con todo el mundo.

g) Yo .... muy aburrido porque esta película .... aburridísima.

h) María ha recibido una mala noticia y .... triste.

i) Isabel y Pedro .... muy orgullosos de su hijo porque ha conseguido muchos éxitos profesionales.

j) Has echado a la lavadora mucho suavizante y las toallas .... muy suaves.

Autoevaluación. Elige la respuesta correcta.

1. ¿Te has comprado ya las camisas? Sí, ya .... he comprado.

    a) los   b) les   c) las

2. Bebe mucho .... olvidar las penas.

    a) por   b) para   c) a

3. Hemos entrado en .... aula para hacer el examen.

    a) la   b) el   c) lo

4. Quizás .... contigo de compras.

    a) voy   b) he ido   c) vaya

5. ¿Es este peine de Ana? Sí, es ....

    a) suyo   b) suya   c) su

6. María .... aburrida y quiere salir de casa para divertirse.

    a) es   b) está   c) hay

7. Le duele el estómago .... comer tantos pasteles.

    a) para   b) por   c) porque

8. A los chicos .... hemos visto en el polideportivo.

    a) los   b) les   c) lo

9. He abierto .... agenda para apuntar la cita.

    a) la   b) el   c) lo

10. Le compró el coche .... 500.000 pesetas.

    a) para   b) por   c) en

11. Es posible que .... esa novela en casa.

    a) tengamos   b) tenemos   c) tener

12. ¿Son estas cajas de Luis? No, no son ....

    a) suyo   b) suyas   c) sus

13. El estudiante .... listo para hacer el examen.

    a) es   b) está   c) hay

14. A María .... gusta regalarme bombones en mi cumpleaños.

    a) la   b) lo   c) le

15. No me gusta Paco porque .... muy orgulloso y cree que es el mejor.

    a) es   b) está   c) hay

16. ¿Es esta carta de vosotros? Sí, es ....

    a) nuestra   b) vuestra   c) suya

17. ¿Has llamado a Ana? No, no .... he llamado.

    a) le   b) la   c) lo

18. No nos gustan .... aves, preferimos ver los peces.

    a) las   b) los   c) les

19. Dice que ese café es .... ella.

    a) por   b) para   c) a

20. Tal vez Luisa .... a sus padres a Granada.

    a) llama   b) llamar   c) llame

Completa las oraciones con la *perífrasis* adecuada.

> deber + infinitivo
> deber de + infinitivo

a) ¿Qué hora es? .... ser las siete, pero no estoy seguro.

b) Para sacar buenas notas, tú .... estudiar más.

c) En la mesa .... haber seis o siete libros.

d) La secretaria .... hablar urgentemente con el director.

e) ¿Cuántas cartas has leído? .... haber leído cuatro o cinco.

f) En la sala .... trabajar unos diez informáticos.

g) El empresario .... pagar sus deudas porque el banco lo exige.

h) Es ya tarde. Nosotros .... marcharnos lo antes posible para coger el tren.

i) Han llamado a la puerta. .... ser el cartero.

j) Tú .... pagarme o no te prestaré dinero nunca más.

k) No sé cuántos años tiene. .... tener unos cincuenta.

Completa las oraciones con alguno de los *pronombres personales* que aparecen en el recuadro.

> me   te   le/lo/la   nos   os   les/los/las

a) A ti .... interesa mucho la nueva novela de Delibes.

b) A ellos .... nombraron directores.

c) A él .... agrada el nuevo trabajo.

d) A vosotros .... ilusiona mucho el concurso.

e) A él .... vieron en el parque.

f) A mí .... escribió mi madre la semana pasada.

g) A ella .... gustan mucho las canciones latinas.

h) A ella .... llamaron por teléfono hace dos días.

i) A nosotros .... explicó la respuesta.

j) A ellos .... molesta el ruido de la calle.

Algunas palabras cambian de significado al cambiar de *género*. Por ejemplo, la diferencia entre *un bolso* y *una bolsa* es el tamaño, y entre *un manzano* y *una manzana* es que el primero es el árbol y la segunda la fruta. Agrupa las siguientes palabras según estos dos significados.

un barco - una barca	un cerezo - una cereza
un naranjo - una naranja	un cuchillo - una cuchilla
un jarro - una jarra	un anillo - una anilla
un ciruelo - una ciruela	un guindo - una guinda

Tamaño: *un bolso - una bolsa*

....

Árbol - fruta: *un manzano - una manzana*

....

A continuación aparece una receta de cocina para hacer una tortilla de patatas. Escribe en *imperativo* de tercera persona los pasos que deben seguirse para hacerla.

Ingredientes

- patatas
- huevos
- aceite
- sal

Utensilios

- sartén
- batidora
- plato

Paso 1

Pelar y trocear las patatas.

Consejo:
no cortar las patatas en trozos grandes.

EJEMPLO: *Pele y trocee las patatas.*
No corte las patatas en trozos grandes.

Paso 2

Calentar el aceite en la sartén.

Consejo:
No utilizar aceite usado.

Paso 3

Echar las patatas en la sartén.

Consejo:
No echar las patatas si el
aceite está frío.

....
....

Paso 4

Poner sal a las patatas.

Consejo:
No poner demasiada sal.

....
....

Paso 5

Freír las patatas.

Consejo:
No quemar las patatas.

....
....

Paso 6

Sacar las patatas ya fritas de la
sartén.

Consejo:
No dejar las patatas con
mucho aceite.

....
....

Paso 7

Batir los huevos.

Consejo:
No batir los huevos
rápidamente.

Paso 8

Mezclar las patatas.

Consejo:
No aplastar las patatas.

Paso 9

Echar la mezcla en una
sartén con poco aceite.

Consejo:
No mover mucho la mezcla.

Paso 10

Dar la vuelta a la tortilla
con un plato.

Consejo:
No utilizar platos demasiado
pequeños.

Paso 11

Poner de nuevo la tortilla en la sartén por el otro lado.

Consejo:
No dejar mucho tiempo la tortilla en la sartén.

....
....

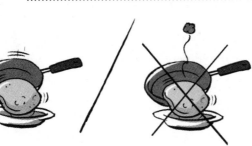

Paso 12

Después de unos minutos, retirar la tortilla de la sartén.

Consejo:
No servir la tortilla muy caliente.

....
....

Escribe con otras palabras los consejos del ejercicio anterior. Utiliza los verbos *aconsejar* y *recomendar* seguidos de *subjuntivo*.

1) EJEMPLO: *Le recomendamos / aconsejamos que no corte las patatas en trozos grandes.*

2) ....
....

3) ....
....

4) ....
....

5) ....
....

6) ....
....

7) ....

8) ....

9) ....

10) ....

11) ....

12) ....

Escribe el *pronombre*, el verbo y la *preposición (a, de, en)* adecuados en las siguientes oraciones.

acercarse	alegrarse	convertirse
atreverse	burlarse	quedarse
acostumbrarse	enterarse	sentarse
dirigirse	darse cuenta	fijarse

a) El agua .... hielo a los 0 grados centígrados. (*convertirse*)

b) Ayer vosotros .... vuestro hermano. (*burlarse*)

c) Yo .... la buena noticia. (*alegrarse*)

d) La semana pasada ellas .... la tienda para comprar alimentos. (*acercarse*)

e) Nosotros .... casa para ver el partido de fútbol. (*quedarse*)

f) Hace tres días ustedes .... el engaño. (*darse cuenta*)

g) Tienes miedo y no .... ir allí. (*atreverse*)

h) Esta mañana Jaime .... la fecha del examen. (*enterarse*)

i) Ana .... el sofá hace un rato. (*sentarse*)

j) Vosotros no .... salir por las noches. *(acostumbrarse)*

k) El presidente .... la puerta y salió del despacho deprisa. *(dirigirse)*

l) Yo .... sus ojos para ver si me decía la verdad. *(fijarse)*

Mira los siguientes grupos de verbos. Un verbo de cada grupo no tiene la misma irregularidad que los otros en *presente, pretérito indefinido* y *futuro*. ¿Sabrías encontrar el verbo intruso?

❑ Presente

a) empezar, pedir, pensar, fregar, sentir

> **EJEMPLO:** Todos los verbos excepto *pedir* forman la primera persona con el diptongo *-ie-: empiezo, pienso, friego, siento/pido.*

b) dar, ir, estar, ser, ver.

....

c) tener, venir, poder, poner, salir

....

d) nacer, florecer, producir, coger, conocer

....

e) romper, meter, aparecer, llegar, dividir

....

❑ Pretérito indefinido

f) querer, tener, estar, andar, saber

....

g) pedir, mentir, vestir, subir, medir

....

h) aburrir, construir, destruir, huir, sustituir

....

i) conducir, destruir, traducir, producir, reducir

....

j) escribir, salir, hacer, nacer, molestar

....

❏ Futuro simple

    k) saber, haber, poder, vender, querer

....

    l) poner, tener, venir, decir, obtener

....

    m) hacer, comer, vender, beber, leer

....

28

¿Cómo expresarías tus buenos deseos a estas personas? Utiliza la estructura con *subjuntivo* del recuadro.

> ojalá + subjuntivo

a) Una pareja de recién casados.

    EJEMPLO: *Ojalá seáis muy felices.*

b) Un desempleado.

....

c) Un estudiante en el examen final.

....

d) Un enfermo.

....

e) Dos amigos que se van de vacaciones.

....

f) Un amigo que comienza un curso.

....

Escribe con otras palabras las oraciones anteriores. Utiliza las estructuras que aparecen en el recuadro.

> espero
> \+ subjuntivo
> deseo

1) EJEMPLO: *Espero que seáis muy felices.*

2) ....

3) ....

4) ....

5) ....

6) ....

29

Escribe con otras palabras las siguientes oraciones. Utiliza los *pronombres recíprocos* del recuadro.

> nos   os   se

a) Juan besa a Ana. Ana besa a Juan.

   EJEMPLO: *Juan y Ana se besan.*

b) Yo beso a mi novio. Mi novio me besa.

   ....

c) Tú admiras a tu hermano. Tu hermano te admira.

   ....

d) Vosotros saludáis a vuestro vecino. Vuestro vecino os saluda.

   ....

e) Vosotros pegáis a vuestros amigos. Vuestros amigos os pegan.

   ....

f) Mis padres no hablan con los vecinos. Los vecinos no hablan con mis padres.

....

g) Tú me ayudas. Yo te ayudo.

....

h) El coche chocó contra el camión. El camión chocó contra el coche.

....

i) Vosotros ayudáis a Pedro. Pedro os ayuda.

....

j) Nosotros prometimos respetar al grupo. El grupo prometió respetarnos.

....

30

Autoevaluación. **Elige la respuesta correcta.**

1. A vosotros .... gusta la fiesta.

    a) vos   b) os   c) nos

2. ¿Cuánto pesa? No sé, ... unos 50 kilos.

    a) debe pesar   b) debe de pesar   c) suele pesar

3. ¡.............................. usted de aquí inmediatamente!

    a) sal   b) salid   c) salga

4. Te aconsejo que .... el examen porque quizás haya un error.

    a) repasas   b) repases   c) repase

5. No se acostumbró .... la vida de la ciudad.

    a) de   b) a   c) en

6. Ojalá .... a tiempo al concierto.

    a) llegamos   b) lleguemos   c) llegaremos

7. El jefe le recomienda que .... más.

    a) trabaje   b) trabaja   c) trabajará

8. A ustedes .... buscaron por toda España.

    a) los   b) os   c) les

9. Está muy enfermo .... al hospital urgentemente.

    a) debe de ir   b) debe ir   c) suele ir

10. Cuando era pequeño, se burlaba .... todo el mundo.

    a) de   b) a   c) en

11. ¡No .... ustedes nada!

    a) toquen   b) tocad   c) toquéis

12. Su padre está en el hospital y .... a verlo obligatoriamente.

    a) debe ir   b) debe de ir   c) suele ir

13. Espera que le .... perdón por todo.

    a) pediremos   b) pedimos   c) pidamos

14. Luis no se ha dado cuenta .... engaño.

    a) al   b) en el   c) del

15. Ojalá .... el ordenador.

    a) funciona   b) funcione   c) funcionará

16. A Ana y a Luisa .... interesa ese trabajo.

    a) les   b) las   c) se

17. Desea que la .... a la fiesta.

    a) invitas   b) invites   c) invitarás

18. Estaba cansada y se quedó .... la casa de la playa.

    a) de   b) a   c) en

19. Ya .... han dicho a Felipe la mala noticia.

    a) lo   b) le   c) el

20. Le recomiendo que .... al médico.

    a) vaya   b) va   c) irá

Completa la carta con *ser*, *estar* o *hay*.

Madrid, 16 de julio de 2000

Querida Mary:

Me pides que te describa el centro comercial de mi barrio. Como sabes, (1) .... cerca de mi casa y en él (2) .... muchas cosas bonitas a buen precio. Te va a gustar mucho. Ya verás.

En la primera planta (3) .... muchos bolsos y cinturones. Algunos (4) .... muy bonitos y modernos. También (5) .... en esta planta cremas y perfumes. (6) .... (ellos) muy caros y yo no puedo comprarlos.

En la segunda planta (7) .... la ropa de mujer. (8) .... algunas chaquetas preciosas y algunas (9) .... de lana. Los pantalones, las faldas y los vestidos (10) .... en la parte derecha y en la parte izquierda (11) .... los zapatos, cerca de las chaquetas y abrigos.

La tercera planta también puede interesarte. (12) .... ropa de lencería femenina. Las demás plantas (13) .... de caballero y niño. (14) .... (ellas) bien si necesitas hacer algún regalo.

¿Cuándo vendrás a verme para ir de compras juntas? (15) .... (yo) esperándote con ansiedad. Cuídate mucho y nos vemos pronto.

Un abrazo,

Sofía

Completa las frases con la *preposición* adecuada.

a) No iréis .... coche a París porque es un viaje muy largo.

b) Han ido a tu casa .... pie.

c) Ana y Luisa salieron .... casa.

d) Luis no sabe montar .... caballo.

e) Has venido .... metro desde tu casa.

f) Acaban de venir .... Valencia.

g) María viaja .... barco de Mallorca a Ibiza.

h) No me gusta montar .... bicicleta.

i) Se fueron .... la cama a las siete.

j) Estuvieron .... pie toda la tarde.

k) Nos bajamos .... el autobús en la Plaza Mayor.

l) Subieron .... el tren rápidamente.

m) Después de cinco minutos entraron .... el bar.

n) Iré .... fiesta esta noche.

Haz lo mismo en las siguientes oraciones.

1) Fuimos .... coche a Barcelona.

2) No entréis .... esa discoteca porque hay mucha gente.

3) Después del aterrizaje forzoso, los pasajeros han bajado .... el avión rápidamente.

4) Iremos al río .... pie.

5) Ana ha venido .... autobús hasta aquí.

6) Estuve .... pie durante cinco horas y me dolieron las piernas después.

7) El otro día montamos .... bicicleta y paseamos por el parque.

8) Niños, ya es tarde. Debéis ir .... la cama.

33

Escribe qué puede ocurrir en las siguientes situaciones. Utiliza el *futuro simple* para indicar la probabilidad.

a) Juan no tiene dinero. Quiere ir al cine.

    EJEMPLO: *Juan pedirá dinero prestado.*

b) Ana tiene una mancha en el vestido. Debe asistir a una fiesta esta noche.

....

c) Fernando tiene prisa. Acaba de sonar el teléfono.

....

d) El coche no funciona bien y Luisa tiene que ir a trabajar.

....

e) Carmen tiene un examen y no ha estudiado.

....

f) Ha habido un corte eléctrico. El periodista tiene que escribir la noticia en el ordenador.

....

g) María va a pagar la compra y no tiene dinero.

....

h) Luis y Yolanda han ido a cenar a un restaurante lujoso. La cena estaba en malas condiciones.

....

i) Los invitados van a llegar. Jesús y Ángela no tienen preparada la cena.

....

j) Los niños acaban de romper los cristales de las ventanas del vecino.

....

El *futuro* puede expresar una duda o probabilidad desde el presente (ejercicio 33). El *condicional* tiene ese mismo valor desde el pasado. Fíjate en el siguiente contraste:

> *¿Cuánto **cuesta** ese coche? **Costará** dos millones de pesetas.*
>
> *¿Cuánto **costaba** ese coche hace dos años? **Costaría** dos millones de pesetas.*

En el presente se usa el futuro y en el pasado, el condicional. Escribe en futuro o condicional los verbos que faltan en las siguientes oraciones.

a) ¿Qué hora era cuando llamó? .... las tres.

b) ¿Cuándo se fue a París? .... el jueves pasado.

c) ¿Cuántos años tiene? .... unos 60.

d) ¿Quién vivía en esa casa? No sé, ... alguien con poco dinero.

e) ¿Cuánto dinero gana al mes? .... unas 200.000 pesetas.

f) ¿Qué coche es el suyo? .... el azul, creo.

g) ¿Dónde estaba Antonio el mes pasado cuando le llamé? .... en la playa de vacaciones.

h) ¿Cuántos libros leías al mes cuando tenías quince años? .... dos o tres.

i) ¿Cuántos años hacía que la conociste? .... unos cinco años.

j) ¿Cómo se dice "espejo" en inglés? No sé, ... "mirror" o algo así.

A continuación te damos algunas fechas importantes en la cultura española. Fíjate en los años que aparecen después y escribe si los acontecimientos se habían producido o no para entonces. Utiliza el *pluscuamperfecto de indicativo*.

1212 El rey Alfonso VIII funda la primera universidad española en Palencia.

1492 Nebrija escribe la primera gramática de español.

1512 Terminan la catedral de Salamanca.

1599 Nace Velázquez, el pintor de *Las Meninas*.

1605 Aparece publicada la primera parte de *El Quijote*.

1726 La Real Academia Española publica el *Diccionario de Autoridades*.

1828 Muere Goya, el pintor de *Los fusilamientos del 2 de mayo*.

1906 Santiago Ramón y Cajal consigue el Premio Nobel de Medicina.

1956 Juan Ramón Jiménez recibe el Premio Nobel de Literatura.

> EJEMPLO: *En 1210 el rey Alfonso VIII no había fundado todavía la primera universidad española.*
>
> *En 1213 el rey Alfonso VIII había fundado ya la primera universidad española.*

> **a)** En 1490 ....
>
> **b)** En 1515 ....
>
> **c)** En 1590 ....
>
> **d)** En 1615 ....
>
> **e)** En 1728 ....
>
> **f)** En 1825 ....
>
> **g)** En 1905 ....
>
> **h)** En 1960 ....

Sustituye la parte subrayada por un *pronombre personal*.

a) Di un libro <u>a mi amigo.</u>

....

b) Metimos <u>las cajas</u> en el coche.

....

c) Los decoradores colocaron <u>los muebles</u> en el salón.

....

d) El cartero entregó la carta <u>a la portera.</u>

....

e) El banco nos enviará <u>los recibos.</u>

....

f) Busca un <u>buen libro</u> para sus hijos.

....

g) Di un pisotón <u>a Ricardo.</u>

....

h) Siempre ha dicho la verdad <u>a sus amigas.</u>

....

i) La secretaria envió las facturas <u>a su jefe.</u>

....

j) El médico escribió <u>la receta.</u>

....

k) Vimos <u>al hijo de Juan</u> en el autobús.

....

l) Envió <u>a la niña</u> a un campamento de verano.

....

Escribe con otras palabras las siguientes oraciones. Utiliza alguna de las *perífrasis* del recuadro.

volver a		
comenzar a	+	infinitivo
acabar de		
dejar de		

a) Miguel jugaba al tenis hace dos años. Ahora ya no juega.

....

b) Hemos llamado por teléfono de nuevo a mi madre porque no estaba en casa la primera vez.

....

c) Fernando tiene mal el estómago y ya no podrá beber cerveza nunca más.

....

d) He leído este libro durante tres semanas. Ya lo he terminado esta tarde.

....

e) No les ha gustado el color de las paredes y han pintado la casa por segunda vez.

....

f) Quiero aprender inglés. Ésta es mi primera clase.

....

g) He hecho mi último examen hace una hora.

....

h) Jaime tiene que hablar con los clientes. En este momento descuelga el teléfono.

....

i) Deletréame la palabra "calendario" otra vez.

....

Imagínate que estamos en el año 2100. Escribe si los siguientes acontecimientos pueden o no haber ocurrido para entonces. Utiliza el *futuro compuesto (yo habré cantado)*.

a) El hombre conquista Marte.

> EJEMPLO: *En el año 2100 el hombre ya habrá conquistado Marte.*
> *En el año 2100 el hombre todavía no habrá conquistado Marte.*

b) Desaparece el cáncer.

....

c) Descubren nueva vida en otros planetas.

....

d) Inventan los coches plegables.

....

e) Se acaba el petróleo.

....

f) El hombre construye ciudades debajo del mar.

....

g) Aparecen nuevas enfermedades.

....

h) Algunas ciudades se inundan con las aguas del mar.

....

i) Los robots sustituyen al hombre en todos los trabajos.

....

j) Crean un ordenador con una inteligencia semejante a la del hombre.

....

Escribe con otras palabras las siguientes oraciones. Utiliza el *imperativo* con *tú* y *vosotros*.

a) Os prohíbo fumar.

> EJEMPLO: *¡No fuméis!*

b) Tienes que llamarme por teléfono.

....

c) Debes hacer la comida.

....

d) Podéis salir de aquí.

....

e) Quiero que vayáis a comprar.

....

f) No me gusta que te peines así.

....

g) No quiero que me traigáis regalos de Egipto.

....

h) Te prohíbo salir sola de aquí.

....

i) Para vosotros es mejor no abrir las ventanas.

....

j) Te aconsejo que empieces a estudiar ya.

....

k) Debéis leer esos informes.

....

l) Tienes que poner esos libros en la estantería.

....

40

Autoevaluación. **Elige la respuesta correcta.**

1. En la sala .... muchas sillas.
    a) son   b) están   c) hay

2. Viajamos por Europa .... avión.
    a) de   b) en   c) a

3. ¿Cuándo llamó por teléfono? .... sobre las diez.
    a) llamará   b) llamaría   c) llamaba

4. A Pedro .... contó que había estado en África.
    a) lo   b) le   c) él

5. No volveré .... verla en muchos años.
    a) en   b) para   c) a

6. Habéis aprendido a montar .... caballo.
    a) de   b) en   c) a

7. En el cajón .... las llaves.
    a) son   b) están   c) hay

8. ¿Con quién habla? .... con la vecina.
    a) hablará   b) hablaría   c) habló

9. .... escribieron a los abuelos una carta.
    a) se   b) los   c) les

10. Vinieron .... Oviedo a Madrid muy tarde.
    a) de   b) en   c) a

11. Dentro de 100 años el hombre .... todo el petróleo del mundo.
    a) consume   b) habrá consumido   c) consumiría

12. ¡...................... a la cama pronto!
    a) ir   b) vayáis   c) id

13. A su hija .... llevó a los mejores colegios.
    a) la   b) le   c) lo

14. Son las cinco. A las siete el avión ya ....
    a) despegará   b) habrá despegado   c) había despegado

15. No me gusta montar .... moto.

    a) de   b) en   c) a

16. En el aula 5 .... las reuniones.

    a) son   b) están   c) hay

17. ¿Por qué se enfadó? .... por el regalo.

    a) se enfadará   b) se enfadaría   c) se enfada

18. ¿Cuándo has escrito la novela? .... escribí hace dos años.

    a) la   b) lo   c) le

19. Acabamos .... cenar y salimos a pasear.

    a) de   b) por   c) a

20. ¡No .... vosotros en clase!

    a) hablad   b) habléis   c) hablen

41

Escribe lo que puede haber ocurrido en las siguientes situaciones.
Utiliza el *futuro compuesto* para indicar la posibilidad.

1

EJEMPLO: *Habrán entrado los ladrones.*

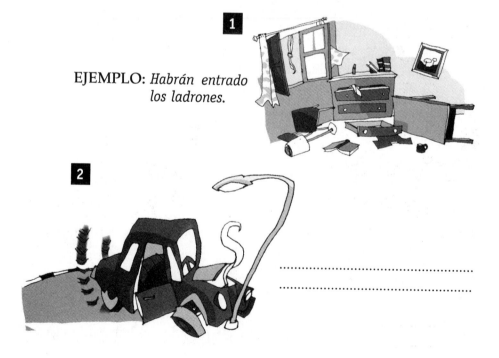

2

....
....

Escribe con otras palabras las siguientes órdenes. Utiliza una forma de cortesía con el *condicional*.

yo, en tu lugar,	+ condicional
yo, que tú,	

a) ¡Estudia más!

 EJEMPLO: *Yo, en tu lugar, / yo, que tú, estudiaría más.*

b) ¡Haz la compra!

....

c) ¡Sal deprisa de aquí!

....

d) ¡No vayas corriendo por la calle!

....

e) ¡Córtate el pelo!

....

¿Podrías	+	infinitivo?

f) ¡Abre la ventana!

....

g) ¡Dame mil pesetas!

....

h) ¡Ordena tu habitación!

....

i) ¡Alcánzame la sal!

....

j) ¡Escribe la carta rápidamente!

....

43

Estilo indirecto. Escribe lo que dice el personaje de los dibujos.

a) EJEMPLO: *Pedro dice que irá de vacaciones a Marbella.*

b) EJEMPLO: *Pedro dijo que iría de vacaciones a Marbella.*

Iré de vacaciones a Marbella

¿Saldrás de casa tarde?

c) Pedro pregunta si ....
....

d) Pedro preguntó si ....
....

Tendrás que enviarme la carta

e) Pedro afirma que ....
....

f) Pedro afirmó que ....

Llamaré por teléfono a Luisa pronto

g) Pedro asegura que ....
....

h) Pedro aseguró que ....
....

¿Dónde recogerás el premio el lunes?

i) Pedro pregunta dónde ....
....

j) Pedro preguntó dónde ....
....

44

Une las siguientes oraciones con *cuando* utilizando el tiempo pasado. Fíjate en que la acción expresada en la primera de ellas es anterior a la expresada en la segunda, por lo que debe usarse el *pluscuamperfecto de indicativo.*

a) María salió. Suena el teléfono.

> EJEMPLO: *María había salido cuando sonó el teléfono.*

b) Nosotros comemos. Juan llega.

....

c) El avión despega. Nosotros llegamos al aeropuerto.

....

d) No leo la pregunta. El profesor me pregunta.

....

e) El presidente muere. El público conoce la noticia.

....

f) Antonio se afeita. La bombilla se funde.

....

g) Ana y Enrique venden el coche. Se compran la casa.

....

h) La gente sale de la ciudad. Hay un terremoto.

....

i) El director firma el contrato. Descubre el engaño.

....

j) Nos vamos de vacaciones. Nos enteramos de la buena noticia.

....

Contesta a las preguntas utilizando los *pronombres personales*.

me	
te	lo
se	la
nos	+ los
os	las
se	

a) ¿Has enviado ya los paquetes a tu madre?

   EJEMPLO: *Sí, ya se los he enviado.*

b) ¿Me has escrito ya el informe?

   No, ...

c) ¿Os han regalado ya el vídeo?

   No, ...

d) ¿Te han dado ya la nota del examen?

   Sí, ...

e) ¿Le habéis contado ya la noticia?

   No, ...

f) ¿Les has dicho ya la hora?

   Sí, ...

g) ¿Nos han entregado ya el presupuesto?

   No, ...

h) ¿Les han explicado ya las lecciones 4 y 5?

   Sí, ...

46

En el ejercicio 23 vimos cómo algunas palabras cambian de significado al cambiar de *género (manzano/manzana)*. Ahora veremos palabras que cambian de significado y género cuando lo hace el artículo que las acompaña.

la trompeta   el trompeta

Averigua el significado de cada palabra y escríbela con el género adecuado. Fíjate en los dibujos.

el cometa - la cometa	el capital - la capital
el cólera - la cólera	el frente - la frente
el orden - la orden	

a) ....

b) ....

c) ....

d) ....

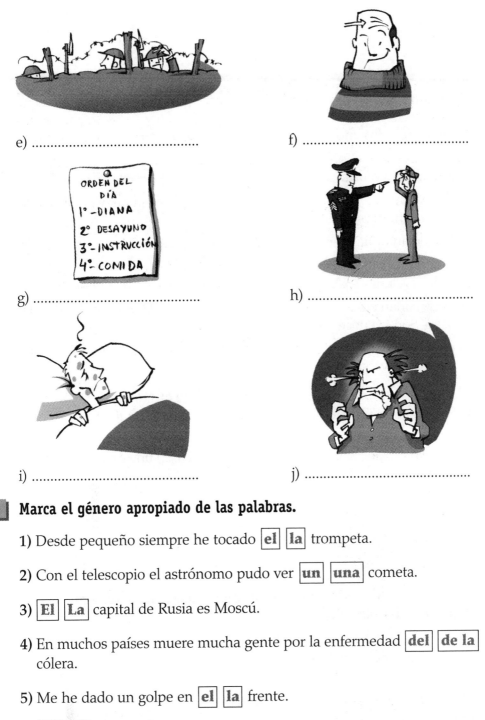

e) ....

f) ....

g) ....

h) ....

i) ....

j) ....

Marca el género apropiado de las palabras.

1) Desde pequeño siempre he tocado ☐el ☐la trompeta.

2) Con el telescopio el astrónomo pudo ver ☐un ☐una cometa.

3) ☐El ☐La capital de Rusia es Moscú.

4) En muchos países muere mucha gente por la enfermedad ☐del ☐de la cólera.

5) Me he dado un golpe en ☐el ☐la frente.

6) ☐El ☐La orden y la limpieza son dos principios para vivir contigo en esa casa.

Completa con el *tiempo verbal* adecuado según las *expresiones de tiempo* que aparecen en cada oración.

a) Dentro de dos años .... *(ir, nosotros)* a la universidad.

b) Hace tres días el profesor nos .... *(explicar)* el arte impresionista.

c) Todavía no .... *(ver, él)* la nueva película del director francés.

d) La semana que viene, ... *(tener, nosotros)* un nuevo coche.

e) Todos los lunes .... *(asistir, yo)* a una obra de teatro.

f) Esta mañana .... *(levantarse, usted)* a las ocho. Son las doce y ya está cansado.

g) El año pasado .... *(estudiar, ellos)* en una universidad alemana.

h) Ya .... *(terminar, nosotros)* de leer el libro.

i) Para el año 2050 no .... *(haber)* enfermedades en el mundo.

j) Nunca .... *(escribir, él)* una carta a su familia, pero hoy quizás lo haga.

Completa con los verbos *ser* o *estar* acompañados de alguna de las preposiciones del recuadro.

a	de	en	para

a) Las tazas .... el armario.

b) Estos libros no son tuyos; .... Luis.

c) No hay sillas suficientes. Nosotros .... pie.

d) .... 15 de julio.

e) El jefe no .... su oficina porque .... viaje.

f) No he comprado los bombones para ti. *(ellos)* .... Fernando.

g) Tenemos que encender la luz porque todavía no .... día.

h) El cielo está muy nublado. .... llover.

i) En invierno a las ocho de la tarde ya .... noche.

Completa con *ser, estar* o *hay.*

John habla con Luis de las playas españolas porque quiere venir a España de vacaciones:

JOHN: Quiero ir de vacaciones a España. ¿Cómo (1) .... las playas?

LUIS: Algunas (2) .... muy limpias y (3) .... muy grandes.

JOHN: ¿(4) .... playas nudistas?

LUIS: Las playas nudistas (5) .... en lugares apartados y (6) .... muy pocas en España.

JOHN: ¿Qué playas (7) .... mejores, las del norte o las del sur?

LUIS: Todas (8) .... buenas, pero el clima (9) .... distinto. En el norte, (10) .... menos días de sol y el agua (11) .... más fría. En el sur, (12) .... más gente y la arena (13) .... más sucia.

JOHN: Por lo que dices, las playas del norte (14) .... más tranquilas. Yo (15) .... una persona alegre y quiero divertirme en España.

LUIS: Entonces vete al sur. (16) .... sol, el agua (17) .... caliente y podrás bañarte todos los días. Por la noche los restaurantes y bares (18) .... llenos de gente y podrás pasarlo bien.

JOHN: (19) .... muy contento con esta información. Yo (20) .... del norte de Europa y ya sabes que a los nórdicos nos gusta el sol.

50

Autoevaluación. **Elige la respuesta correcta.**

1. El médico dijo que el enfermo .... pronto.
    a) mejorará   b) mejoraría   c) mejore

2. Cuando se rompió el ordenador, los informáticos ya ....
.... toda la información del disco duro.
    a) habrán sacado   b) habían sacado   c) han sacado

3. ¿Qué ha ocurrido? No lo sé, se .... caído por las escaleras.
    a) ha caído   b) había caído   c) habrá caído

4. Yo, en tu lugar, me .... ese vestido.
    a) compraría   b) compraré   c) habré comprado

5. Pedro dice que .... un crédito al banco.
    a) pedirá   b) pediría   c) pedía

6. ¿A quién le diste los paquetes? .... he dado a Fernando.
    a) se les   b) le los   c) se los

7. La madre ha comprado .... cometa a los niños.
    a) un   b) una   c) uno

8. El mes que viene .... las calificaciones finales.
    a) sepamos   b) sabríamos   c) sabremos

9. Estas flores no son .... ella.
    a) por   b) para   c) a

10. Ya .... la carta, cuando se dio cuenta del error.
    a) había enviado   b) ha enviado   c) habrá enviado

11. Hace tres días .... a tu nuevo amigo.
    a) conozco   b) he conocido   c) conocí

12. Yo, que tú, ... a mi familia.
    a) visite   b) visitaré   c) visitaría

13. ¿Os han comunicado ya la noticia? Sí, ya .... han comunicado.
    a) os la   b) nos la   c) os lo

14. El periodista preguntó al atleta si .... la carrera.
    a) ganará   b) ganaría   c) gane

15. Este despacho no es tuyo; es .... Isabel.
    a) de   b) por   c) a

16. En la sala .... mucho humo y no podemos respirar.

    a) es   b) hay   c) está

17. Estamos .... 25 de diciembre, Navidad.

    a) por   b) a   c) para

18. El abogado .... muy ocupado este mes. Ahora tiene más tiempo libre.

    a) estará   b) está   c) ha estado

19. ¿Has dado ya el telegrama a tus amigas? Sí, ya .... he dado.

    a) se lo   b) se le   c) les lo

20. Te pregunto dónde .... el dinero.

    a) esconderás   b) esconderías   c) escondas

51

En las siguientes oraciones se han utilizado distintas estructuras. Escríbelas de nuevo utilizando *poder* + *infinitivo*.

a) Quizás llueva.

....

b) Deben de ser las cinco.

....

c) ¿Me prestas cinco mil pesetas?

....

d) María tiene mal la garganta y no ha hablado durante la comida.

....

e) Probablemente, Ana tenga treinta años.

....

f) Quiere que me llames esta tarde.

....

g) ¡Abre la ventana!

....

h) Es posible que mañana haya muchos invitados en la fiesta.

....

i) Juan es capaz de nadar cien metros en la piscina.

....

j) Es probable que Luis llame esta tarde por teléfono.

....

k) La niña leerá este libro de aventuras porque sabe leer muy bien.

....

l) Tiene un brazo roto y no hará la comida hoy.

....

¿Qué significados tiene la estructura *poder* + *infinitivo* en las oraciones anteriores?

....

52

Completa con las *preposiciones* del recuadro.

a	de	en	para	por

El mes pasado estuve viajando (1) .... España (2) .... coche. Es un país rodeado (3) .... el mar. (4) .... el norte, España está junto (5) .... Francia y (6) .... el sur se encuentra el Estrecho de Gibraltar y después Marruecos. (7) .... el oeste está Portugal. El mar Mediterráneo baña las costas (8) .... el este. (9) .... el mar Mediterráneo están las Islas Baleares, un lugar muy bonito (10) .... pasar las vacaciones. (11) .... el océano Atlántico, (12) .... el oeste de Marruecos, están las Islas Canarias, famosas (13) .... sus plátanos y (14) .... el Teide, un volcán inactivo.

España tiene muchos contrastes de clima. (15) .... el norte llueve mucho y las temperaturas no son muy elevadas. Los campos están llenos (16) .... hierba y todo está cubierto (17) .... agua. El sur es más caluroso, sobre todo (18) .... verano. Se puede llegar (19) .... los 45° C. Llueve poco y los campos están más secos.

53

Estilo indirecto. Escribe lo que dicen los personajes de los dibujos.

ENTREVISTA CON LA FAMOSA ACTRIZ MARÍA ESTRELLA

EJEMPLO: *El periodista pregunta si ella es millonaria. La actriz responde que no tiene dinero.*

Han pasado tres días. Cuenta ahora lo que dijeron los personajes.

EJEMPLO: *El periodista preguntó si ella era millonaria.*
La actriz respondió que no tenía dinero.

....
....
....
....
....
....
....

Fíjate en las oraciones de los apartados anteriores (las de presente y las de pasado). ¿Qué cambios han sufrido los tiempos verbales?

❏ Presente	❏ Pasado
presente de indicativo	>> ....
futuro simple	>> ....

Une los siguientes pares de oraciones utilizando las partículas de finalidad que aparecen en los recuadros. Fíjate en que la segunda oración indica la _finalidad_ de la primera.

para	+	infinitivo

a) Estudio español. Conozco mejor la cultura española.

> EJEMPLO: *Estudio español para conocer mejor la cultura española.*

b) Manolo trabaja mucho. Manolo gana dinero.

....

c) El fotógrafo hizo fotografías. El fotógrafo las envió a la revista.

....

para que	+	subjuntivo

d) El abogado defiende al testigo. El testigo sale de la cárcel.

....

e) El padre lee un cuento. Los niños se divierten.

....

f) Envié una carta a Isabel. Isabel tendrá noticias mías.

....

> ¿para qué + indicativo?

g) Has comprado un coche. Viajaré con él.

....

h) Me ha llamado Carmen. Tú vas con ella al médico.

....

i) Andáis tan deprisa. Llegamos a tiempo.

....

 **Completa con *para, para que* o *para qué*.**

1) ¿.. me regalas eso? .... seas feliz.

2) Compró un libro .... leerlo en verano.

3) Leyó en voz alta .... los asistentes la oyeran.

4) El piloto habló a los pasajeros .... no tuvieran miedo al aterrizar.

5) ¿................................... vendiste la casa? .... conseguir dinero.

6) No diré nada .... no molestaros.

7) María llamó al camarero .... le trajera la bebida.

55

Escribe las siguientes oraciones en tiempo futuro. Recuerda que debes usar el subjuntivo para indicar futuro en las *oraciones temporales* con *cuando*.

> cuando + subjuntivo = valor de futuro

a) Cuando voy a Londres, me compro libros.

   EJEMPLO: *Cuando vaya a Londres, me compraré libros.*

b) Cuando Ana estudiaba en el colegio, tenía muchos amigos.

....

c) Cuando salgo con mi novia, me gusta pasear.

....

d) Cuando llegamos a la estación, ellos ya estaban allí.

....

e) Cuando hiciste la última fiesta, no la invitaste.

....

f) Cuando viajas en avión, te mareas.

....

g) Cuando vienen a la casa de Luis, le traen bombones.

....

h) Cuando la llamáis por teléfono, no está en casa.

....

i) Cuando Ángela habla con el médico, se pone muy nerviosa.

....

Une los siguientes pares de oraciones utilizando las estructuras *condicionales* de los recuadros.

> *si* presente de indicativo   +   futuro

a) Me llaman por teléfono. No cojo el teléfono.

> **EJEMPLO:** *Si me llaman por teléfono, no lo cogeré.*

b) Tienes mucho trabajo. No puedes salir.

....

c) El informático termina el programa. Funciona el ordenador.

....

> *si* imperfecto de subjuntivo + condicional simple

d) Felipe me habla. Me hace feliz.

....

e) No me dan el trabajo. Me voy de la ciudad

....

f) El médico te prohíbe fumar. Dejas el tabaco.

....

> *si* pluscuamperfecto de subjuntivo + condicional compuesto

g) Visitas a tus abuelos. No se enfadan.

....

h) Antonio arregla el coche. No tiene un accidente.

....

i) Los asistentes al congreso no toman café. Se quedan dormidos.

....

Completa las oraciones con los verbos entre paréntesis.

1) Si .... *(venir, tú)*, habríamos ido al teatro.

2) Si el profesor no fuera tan aburrido, ... *(tener)* más alumnos en sus clases.

3) Si el arquitecto .... *(hacer)* bien los planos, construirán una casa bonita.

4) Si os .... *(gustar)* la música, iríamos a ver un concierto.

5) Si te hubieras puesto el vestido verde, ... *(ir)* más elegante.

6) Si la enfermera no cuida a los enfermos, la .... *(echar)* del hospital.

7) Si no viera la estatua de la Cibeles, no .... *(conocer)* Madrid.

57

Sustituye las partes subrayadas por *pronombres personales*.

a) Quiero enviar <u>unas cartas</u> <u>a Pedro.</u>

....

b) ¡Di <u>la verdad</u> <u>a nosotros</u>!

....

c) Estuvo escribiendo toda la tarde <u>el informe.</u>

....

d) Voy a regalar <u>un bolso</u> <u>a Tere.</u>

....

e) Estuve buscando <u>a mis amigos</u> en la piscina.

....

f) ¡Da <u>los libros</u> <u>a Juana!</u>

....

g) Me gusta fregar <u>los platos</u> después de cada comida.

....

h) Vamos a escuchar <u>las noticias.</u>

....

i) ¡Abre <u>la ventana!</u>

....

j) ¡Compra <u>un coche</u> <u>para ti!</u>

....

58

Completa las oraciones con los verbos en *presente de indicativo* o *presente de subjuntivo*.

a) Es bueno que .... (*ir, nosotros*) a la montaña.

b) Creo que Luisa .... (*saber*) francés.

c) Luis espera que sus padres le .... *(comprar)* una cadena de música.

d) Lamentamos que tu padre .... *(estar)* enfermo.

e) Adolfo dice que .... *(venir, él)* en coche por la autopista.

f) Es cierto que las plantas .... *(sentir)* los ruidos.

g) Ustedes quieren que los impuestos .... *(subir)* de nuevo.

h) No creo que .... *(terminar, tú)* a tiempo el trabajo.

i) Necesitáis que alguien os .... *(ayudar)*.

j) No es cierto que .... *(tener, nosotros)* que pagar esa factura.

Corrige las siguientes oraciones.

❑ Bloque 1

1. Cuando fuimos jóvenes, viajábamos mucho.
2. Nos estudiamos para el examen.
3. Nos gusta las películas de miedo.
4. El libro le he dejado en la estantería.
5. Ustedes llamasteis a los amigos.
6. Ayer han estado en la fiesta de cumpleaños de Ana.
7. Este mes hizo mucho calor y ahora las temperaturas están más bajas.
8. A Ana la gusta ir en barco.
9. La agua no era buena.
10. El padre dijo que toda su fortuna era por su hijo.
11. ¡No fumad en esta sala!
12. Descansaré para 20 minutos.
13. ¡Ponéis ustedes los pies sobre esta mesa!
14. Le recomiendo que va a ver la película.
15. ¿Has comprado ya queso? Sí, ya le he comprado.
16. Era un chico bueno y se convirtió a un diablo.
17. ¿Cuántas personas fueron a la fiesta? Irán unas veinte.
18. Llegaron las vacaciones y los aulas se quedaron pronto vacías.
19. Es posible que lloverá esta tarde.
20. La película estaba aburrida y el público se durmió.

❑ Bloque 2

21. Cuando estudiaré la lección, me pondré música.

22. ¿Dónde has visto a tus amigos? Les he visto en el cine.

23. Espero que nos veremos pronto en la piscina.

24. Yo, en tu lugar, escribiré al periódico.

25. Hay la gente en la sala de espera.

26. El coche se le regaló por su cumpleaños.

27. Cuando visitas a tus padres, les darás saludos de mi parte.

28. Si habrías llamado a tiempo, te habríamos esperado.

29. ¡Me lo dé rápidamente!

30. Subieron del barco para ir de viaje a una isla.

31. A Fernando lo interesa coleccionar piedras.

32. Dentro de cien años, habían desaparecido muchas especies animales.

33. El futbolista dijo que cambiará de equipo.

34. ¿Me has comprado el pan? Sí, me le he comprado.

35. La capital de esta empresa es de 1.000 millones de dólares.

36. La semana que viene nos fuimos de vacaciones.

37. Cuando te llamaron, estabas en viaje.

38. La policía le preguntó si conoce a la víctima.

39. El padre compró cuentos para sus hijos leerlos.

40. A mis amigas las gusta bailar en las discotecas.

60

Autoevaluación. **Elige la respuesta correcta.**

1. Fui a Santander .... unos amigos.
   a) por   b) para   c) con

2. No le diré la verdad para que no ....
   a) sufre   b) sufrirá   c) sufra

3. ¿.................................. has hecho la cama? Para descansar en ella.
   a) para   b) para qué   c) para que

4. El estudiante responde al profesor que no .... nunca más.
   a) mentirá   b) miente   c) mentiría

5. Cuando .... mayor, viajarás solo.
   a) serás   b) fuiste   c) seas

6. Si .... a León, verás la impresionante catedral.

    a) irás   b) vas   c) fueras

7. No has enviado los libros a tu hermano. ¡Envía................................ ya!

    a) lelos   b) selos   c) seles

8. Si hubieras reservado el hotel con tiempo, te .... mucho dinero.

    a) ahorrarás   b) habrías ahorrado c) ahorraras

9. El dinero, no quiero dár...................... a vosotros. Me habéis engañado.

    a) noslo   b) selo   c) oslo

10. El fontanero arregla el grifo para que no .... agua.

    a) pierde   b) pierda   c)perder

11. Si .... invertir bien el dinero, ganarías mucho.

    a) sabes   b) supieras   c) sabrías

12. No has leído hoy el periódico. ¡Lée........................! Hay noticias muy interesantes.

    a) telo   b) tele   c) lote

13. La verdad, voy a contár............................... a ustedes.

    a) sela   b) osla   c) tela

14. Iremos .... bicicleta a veros.

    a) de   b) a   c) en

15. Échate crema en la cara .... no te salgan arrugas.

    a) para   b) para que   c) para qué

16. Cuando Luis .... a sus abuelos, les llevará un regalo.

    a) visitará   b) visitó   c) visite

17. El periodista le preguntó cuál .... su próximo trabajo.

    a) será   b) sea   c) sería

18. Duermes mucho para no .... arrugas.

    a) tienes   b) tengas   c) tener

19. Si ...., no habrías tenido que pedir el crédito.

    a) habrías ahorrado b) hubieras ahorrado c) ahorrarás

20. No me has contado el chiste. ¡Cuénta................................., por favor!

    a) tele   b) melo   c) telo

CLAVES

a) está   d) estamos   g) es   j) es, Es

b) eres   e) es   h) son   k) estáis

c) es   f) es   i) es, Son

conducir - conduzco - conduje - conduciré

tener - tengo - tuve - tendré

ser - soy - fui - seré

decir - digo - dije - diré

vestir - visto - vestí - vestiré

ir - voy - fui - iré

poder - puedo - pude - podré

hacer - hago - hice - haré

querer - quiero - quise - querré.

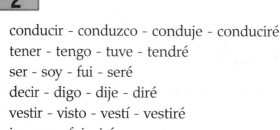

1) El poeta Juan Ramón Jiménez **nació** en Moguer (Huelva) en 1881. **Estudió** Derecho, pero **abandonó** sus estudios y se **trasladó** a Madrid. En esta ciudad se **dedicó** a la poesía. En 1905 **volvió** a Moguer y **escribió** *Platero y yo*. En 1913 **conoció** a Zenobia Camprubí en Madrid y se **casó** con ella en Nueva York. Los dos **vivieron** en Madrid hasta la Guerra Civil. A partir de 1936 **recorrieron** distintos países americanos y se **quedaron** definitivamente en Puerto Rico. En 1956 **recibió** el Premio Nobel. En 1958 **murió** en Puerto Rico.

2) La casa de los abuelos de Ana **estaba** situada en un valle. **Era** un viejo caserón en el centro del pueblo. Las paredes exteriores **eran** de piedra y **había** adornos de madera. Por dentro, el techo **estaba** muy alto y la casa **estaba** fría y oscura. **Llevaba** varios meses cerrada y **olía** mal. Las paredes **tenían** alguna telaraña y **había** mucho polvo sobre los muebles. La casa **tenía** muebles antiguos. En algunos armarios **había** todavía ropa vieja. Ana **iba** allí en las vacaciones de verano y le **gustaba** mucho jugar con tantas cosas viejas.

4

Ana suele llamar a su madre por teléfono todos los días.

Ana suele hacer gimnasia los lunes.

Ana suele viajar a Asia una vez al año.

Ana suele hablar con sus clientes muchas veces al día.

Ana suele pagar con tarjetas de crédito pocas veces.

Ana suele salir de tapas con los amigos frecuentemente.

Ana no suele comer en restaurantes caros casi nunca.

Ana suele montar a caballo con frecuencia.

5

a) Ellas salieron de casa a las 10.

b) Lo/le he visto en su casa.

c) Lo compraron ayer.

d) Me gustan ellos.

e) La construiremos en el campo.

f) Ayer habló ella conmigo.

g) Han venido ellos a mi fiesta de cumpleaños.

h) Las han escrito esta tarde.

i) Los vendisteis muy pronto.

j) Me ha llamado por teléfono él.

6

Posibles respuestas

a) En 1958 nació Pepe Gol.

b) Entre 1963 y 1970 jugó / jugaba al fútbol con sus amigos y estudió / estudiaba en el colegio.

c) En 1970 estudiaba en el colegio y empezó a jugar en un equipo juvenil.

d) En 1971 y 1972 su equipo ganó varios partidos.

e) En 1973 tuvo una lesión en la rodilla cuando jugaba en un partido.

f) En 1974 volvió a la competición.

g) En 1975 entró en un equipo importante.

h) Entre 1976 y 1986 fue / era un jugador muy famoso y fue dos veces el mejor jugador del mundo.

i) En 1987 comenzaron los problemas con su salud cuando estaba en lo más alto de la fama.

j) En 1989 anunció su retirada del fútbol.

7

b) *Las Meninas* es el cuadro más importante.

c) La paella es la comida más exquisita.

d) Sevilla es la ciudad más alegre.

e) Madrid es la ciudad más habitada.

f) Induráin es el mejor deportista.

g) El Tajo es el río más largo.

h) El Guggenheim de Bilbao es el museo más moderno.

i) La *Dama de Elche* es la escultura más antigua.

j) La sequía es la peor desgracia.

8

a) Con quién	d) Por dónde	g) Hacia dónde	j) A quién
b) Desde cuándo	e) Hasta cuándo	h) De quién	k) Desde dónde
c) Con qué	f) En qué	i) De qué	

9

1) he conseguido	7) pude	13) pude	19) he querido
2) fui	8) Estuve	14) visité	20) llamó
3) estudié	9) aprendí	15) terminé	21) he hablado
4) tuve	10) terminé	16) publiqué	22) he leído
5) hice	11) quise	17) escribí	
6) quedé	12) aprobé	18) he tenido	

Expresiones de tiempo

Pretérito indefinido: *a los catorce años, hace diez años, hace cuatro años, el año pasado, la semana pasada.*

Pretérito perfecto: *este año, esta semana, esta mañana.*

10

1. a	6. c	11. b	16. b
2. b	7. c	12. a	17. c
3. c	8. b	13. b	18. b
4. c	9. c	14. c	19. a
5. a	10. b	15. a	20. c

11

a) Lo busco.

b) Los han visto en televisión.

c) Las hemos perdido en el aeropuerto.

d) No la encuentro.

e) Lo / le llamaré por teléfono.

f) La vi en el supermercado.

g) Le regalamos un libro.

h) Les han dado un premio.

i) Les escribiste varias cartas.

j) Este libro le interesa.

1) La compramos al lado del mar.

2) Mi padre le vendió el coche.

3) Los busqué en la fiesta.

4) Le regalé una muñeca.

5) Les enviaron un paquete.

6) Lo / le nombraron presidente.

12

a) Llevan el artículo *el* y *un* las palabras de género femenino que empiezan por *a*- tónica: decimos [água] y no [aguá].

b) Las palabras de género femenino que empiezan por *a*- no tónica llevan los artículos *la* y *una*: decimos [arrúga] y no [árruga].

c) el / un habla; la / una aceituna; la / una adivinanza; la / una arruga; el / un ave; el / un alma; la / una aduana; el / un ala; el / un acta; la harina; la adolescencia; la / una agenda.

d) En plural siempre llevan el artículo en femenino.
las / unas hablas; las / unas aceitunas; las / unas adivinanzas; las / unas arrugas; las / unas aves; las / unas almas; las / unas aduanas; las / unas alas; las / unas actas; las harinas; las adolescencias; las / unas agendas.

13

a) para	d) para	g) para
b) por	e) por	h) por
c) por	f) para	i) por

14

traer - traigo - traiga	saber - supe - supiera, supiese
volver - vuelvo - vuelva	poder - pude - pudiera, pudiese
pensar - pienso - piense	decir - dije - dijera, dijese
nacer - nazco - nazca	venir - vine - viniera, viniese
hacer - hago - haga	traducir - traduje - tradujera, tradujese
conducir - conduzco - conduzca	construir - construí / construyó - construyera, construyese
pedir - pido - pida	
venir - vengo - venga	hacer - hice - hiciera, hiciese
oír - oigo - oiga	querer - quise - quisiera, quisiese
	leer - leí / leyó - leyera, leyese

15

2) Le harán muchas entrevistas.

3) Saldrá en muchos periódicos.

4) Vivirá en una mansión.

5) Saldrá con hombres muy guapos.

6) Ganará un Oscar.

7) Vestirá trajes lujosos.

8) Llevará joyas caras.

9) Se casará con un hombre atractivo y rico.

10) Conducirá coches caros.

16

b) Tal vez / quizás apruebe el examen.

c) Tal vez / quizás consiga el trabajo.

d) Tal vez / quizás pueda comprarme un buen coche.

e) Tal vez / quizás termine el informe para el jueves.

f) Tal vez / quizás venda la casa fácilmente y consiga mucho dinero.

1) Es posible que apruebe el examen.

2) Es posible que consiga el trabajo.

3) Es posible que pueda comprarme un buen coche.

4) Es posible que termine el informe para el jueves.

5) Es posible que venda la casa fácilmente y consiga mucho dinero.

17

b) Fernando hace las maletas, ya que se va de vacaciones.
c) Como Paco no quiere suspender, estudia.
d) Luis va al fútbol, puesto que le gusta mucho este deporte.
e) Como no quiere engordar, come muy poco.
f) Mi hermano va a la playa, ya que quiere ponerse moreno.
g) El amigo de Felipe me ha arreglado el coche, puesto que sabe mecánica.
h) Antonio tiene sueño, ya que se levanta muy temprano.
i) Piluca se pinta los labios porque quiere estar muy guapa.
j) Como Carmen ha comprado un piso, no tiene dinero.

18

b) Sí, son suyas.
c) Sí, es nuestro / Sí, es vuestro.
d) Sí, son tuyas.
e) Sí, es suya.
f) Sí, es mía.

g) Sí, son suyas.
h) Sí, es nuestra.
i) Sí, es suyo.
j) Sí, son suyos.

19

Significado parecido: *gordo, triste, guapo, suave, amable, alto.*
Significado distinto: *listo, vivo, orgulloso, nuevo, bueno, aburrido.*

a) está   c) ha sido   e) Está   g) estoy, es   i) están
b) Son   d) estás   f) Es   h) está   j) están

20

1. c	5. a	9. a	13. b	17. b
2. b	6. b	10. b	14. c	18. a
3. b	7. b	11. a	15. a	19. b
4. c	8. a	12. b	16. a	20. c

21

a) Deben de   d) debe   g) debe   j) debes
b) debes   e) Debo de h) debemos k) Debe de
c) debe de   f) deben de i) Debe de

a) te	c) le	e) lo / le	g) le	i) nos
b) los	d) os	f) me	h) la	j) les

Tamaño: *un barco - una barca, un cuchillo - una cuchilla, un jarro - una jarra, un anillo - una anilla.*

Árbol - fruta: *un cerezo - una cereza, un naranjo - una naranja, un ciruelo - una ciruela, un guindo - una guinda.*

❏ Paso 2

Caliente el aceite en la sartén. No utilice aceite usado.

❏ Paso 3

Eche las patatas en la sartén. No eche las patatas si el aceite está frío.

❏ Paso 4

Ponga sal a las patatas. No ponga demasiada sal.

❏ Paso 5

Fría las patatas. No queme las patatas.

❏ Paso 6

Saque las patatas ya fritas de la sartén. No deje las patatas con mucho aceite.

❏ Paso 7

Bata los huevos. No bata los huevos rápidamente.

❏ Paso 8

Mezcle las patatas. No aplaste las patatas.

❏ Paso 9

Eche la mezcla en una sartén con poco aceite. No mueva mucho la mezcla.

❏ Paso 10

Dé la vuelta a la tortilla con un plato. No utilice platos demasiado pequeños.

❏ Paso 11

Ponga de nuevo la tortilla en la sartén por el otro lado. No deje mucho tiempo la tortilla en la sartén.

❏ Paso 12

Después de unos minutos, retire la tortilla de la sartén. No sirva la tortilla muy caliente.

25

2) Le recomendamos / aconsejamos que no utilice aceite usado.

3) Le recomendamos / aconsejamos que no eche las patatas si el aceite está frío.

4) Le recomendamos / aconsejamos que no ponga demasiada sal.

5) Le recomendamos / aconsejamos que no queme las patatas.

6) Le recomendamos / aconsejamos que no deje las patatas con mucho aceite.

7) Le recomendamos / aconsejamos que no bata los huevos rápidamente.

8) Le recomendamos / aconsejamos que no aplaste las patatas.

9) Le recomendamos / aconsejamos que no mueva mucho la mezcla.

10) Le recomendamos / aconsejamos que no utilice platos demasiado pequeños.

11) Le recomendamos / aconsejamos que no deje mucho tiempo la tortilla en la sartén.

12) Le recomendamos / aconsejamos que no sirva la tortilla muy caliente.

26

a) se convierte en
b) os burlasteis de
c) me alegro de
d) se acercaron a
e) nos quedamos en
f) se dieron cuenta de
g) te atreves a
h) se ha enterado de
i) se ha sentado en / se sentó en
j) os acostumbráis a
k) se dirigió a
l) me fijé en

27

b) Todos los verbos excepto *ver* forman la primera persona añadiendo -*y*: *doy, voy, estoy, soy / veo*.

c) Todos los verbos excepto *poder* forman la primera persona añadiendo -*g*-: *tengo, vengo, pongo, salgo / puedo*.

d) Todos los verbos excepto *coger* forman la primera persona añadiendo -*z*-: *nazco, florezco, produzco, conozco / cojo*.

e) Todos los verbos son regulares excepto *aparecer*: *rompo, meto, llego, divido / aparezco*.

f) Todos los verbos excepto *querer* cambian alguna vocal del verbo por *u*: *tuve, estuve, anduve, supe / quise.*

g) Todos los verbos excepto *subir* cambian la vocal *e* del verbo por *i* en las terceras personas: *pidió, mintió, vistió, midió / subió.*

h) Todos los verbos acabados en *-uir* forman el indefinido en las terceras personas con *-y-*: *construyó, destruyó, huyó, sustituyó / aburrió.*

i) Todos los verbos acabados en *-ducir* forman el indefinido añadiendo *-j-*: *conduje, traduje, produje, reduje / destruí, destruyó.*

j) Todos los verbos son regulares excepto *hacer: escribí, salí, nací, molesté / hice.*

k) Todos los verbos excepto *vender* pierden una vocal al formar el futuro: *sabré, habré, podré, querré / venderé.*

l) Todos los verbos excepto *decir* añaden *-d-* al formar el futuro: *pondré, tendré, vendré, obtendré / diré.*

m)Todos los verbos son regulares excepto *hacer: comeré, venderé, beberé, leeré / haré.*

28

Posibles respuestas

b) Ojalá encuentres un trabajo pronto.
c) Ojalá salga muy bien el examen. Ojalá el examen sea fácil.
d) Ojalá te mejores pronto.
e) Ojalá lo paséis muy bien. Ojalá os divirtáis mucho.
f) Ojalá aprendas mucho.

 Posibles respuestas

2) Espero / deseo que encuentres un trabajo pronto.
3) Espero / deseo que salga muy bien el examen.
4) Espero / deseo que te mejores pronto.
5) Espero / deseo que lo paséis muy bien.
6) Espero / deseo que aprendas mucho.

29

b) Mi novio y yo nos besamos.
c) Tu hermano y tú os admiráis.
d) Vuestro vecino y vosotros os saludáis.

e) Vuestros amigos y vosotros os pegáis.

f) Mis padres y los vecinos no se hablan.

g) Tú y yo nos ayudamos.

h) El coche y el camión se chocaron.

i) Pedro y vosotros os ayudáis.

j) El grupo y nosotros prometimos respetarnos.

30

1. b	3. c	5. b	7. a	9. b	11. a	13. c	15. b	17. b	19. b
2. b	4. b	6. b	8. a	10. a	12. a	14. c	16. a	18. c	20. a

31

1) está	4) son	7) está	10) están	13) son
2) hay	5) hay	8) hay	11) están	14) están
3) hay	6) son	9) son	12) hay	15) estoy

32

a) en	c) de	e) en	g) en	i) a	k) del	m) en
b) a	d) a	f) de / a	h) en	j) de	l) al	n) de

1) en	3) del	5) en	7) en
2) en	4) a	6) de	8) a

33

Posibles respuestas

b) Ana llevará su vestido a la tintorería. Ana se pondrá otro vestido.

c) Fernando no contestará al teléfono.

d) Luisa cogerá un taxi. Llevará el coche al mecánico.

e) Carmen no hará el examen. Dirá que está enferma.

f) Escribirá la noticia a mano / en una máquina de escribir.

g) María pagará con una tarjeta de crédito. No se llevará la compra.

h) Luis y Yolanda hablarán con el camarero. Escribirán sus quejas en el libro de reclamaciones.

i) Los invitados tendrán que esperar. Llamarán a un restaurante con servicio de comida a domicilio.

j) La madre pagará los gastos. Los niños se esconderán.

34

a) serían   c) tendrá   e) ganará   g) estaría   i) haría

b) se iría   d) viviría   f) será   h) leería   j) se dirá

35

a) En 1490 Nebrija no había escrito todavía la primera gramática de español.

b) En 1515 ya habían terminado la catedral de Salamanca.

c) En 1590 no había nacido todavía Velázquez.

d) En 1615 ya había aparecido publicada la primera parte de *El Quijote*.

e) En 1728 la Real Academia Española ya había publicado el *Diccionario de Autoridades*.

f) En 1825 Goya no había muerto todavía.

g) En 1905 Santiago Ramón y Cajal no había conseguido todavía el Premio Nobel de Medicina.

h) En 1960 Juan Ramón Jiménez ya había recibido el Premio Nobel de Literatura.

36

a) Le di un libro.

b) Las metimos en el coche.

c) Los decoradores los colocaron en el salón.

d) El cartero le entregó la carta.

e) El banco nos los enviará.

f) Lo busca para sus hijos.

g) Le di un pisotón.

h) Siempre les ha dicho la verdad.

i) La secretaria le envió las facturas.

j) El médico la escribió.

k) Lo / le vimos en el autobús.

l) La envió a un campamento de verano.

37

a) Miguel ha dejado de jugar al tenis.

b) Hemos vuelto a llamar por teléfono a mi madre.

c) Fernando ha dejado de beber cerveza.

d) Acabo de terminar este libro.

e) Han vuelto a pintar la casa.

f) Comienzo a aprender inglés.

g) Acabo de hacer mi último examen.

h) Jaime comienza a llamar por teléfono a sus clientes.

i) Vuelve a deletrearme la palabra "calendario".

38

Damos las dos respuestas posibles

b) En el año 2100 ya habrá desaparecido el cáncer. En el año 2100 todavía no habrá desaparecido el cáncer.

c) En el año 2100 ya habrán descubierto nueva vida en otros planetas. En el año 2100 todavía no habrán descubierto nueva vida en otros planetas.

d) En el año 2100 ya habrán inventado los coches plegables. En el año 2100 todavía no habrán inventado los coches plegables.

e) En el año 2100 ya se habrá acabado el petróleo. En el año 2100 todavía no se habrá acabado el petróleo.

f) En el año 2100 el hombre ya habrá construido ciudades debajo del mar. En el año 2100 el hombre todavía no habrá construido ciudades debajo del mar.

g) En el año 2100 ya habrán aparecido nuevas enfermedades. En el año 2100 todavía no habrán aparecido nuevas enfermedades.

h) En el año 2100 algunas ciudades ya se habrán inundado con las aguas del mar. En el año 2100 algunas ciudades todavía no se habrán inundado con las aguas del mar.

i) En el año 2100 los robots ya habrán sustituido al hombre en todos los trabajos. En el año 2100 los robots todavía no habrán sustituido al hombre en todos los trabajos.

j) En el año 2100 ya habrán creado un ordenador con una inteligencia semejante a la del hombre. En el año 2100 todavía no habrán creado un ordenador con una inteligencia semejante a la del hombre.

39

b) ¡Llámame por teléfono!

c) ¡Haz la comida!

d) ¡Salid de aquí!

e) ¡Id a comprar!

f) ¡No te peines así!

g) ¡No me traigáis regalos de Egipto!

h) ¡No salgas sola de aquí!

i) ¡No abráis las ventanas!

j) ¡Empieza a estudiar ya!

k) ¡Leed esos informes!

l) ¡Pon esos libros en la estantería!

40

1. c	6. c	11. b	16. a
2. b	7. b	12. c	17. b
3. b	8. a	13. a	18. a
4. b	9. c	14. b	19. a
5. c	10. a	15. b	20. b

41

Posibles respuestas

2) Habrá habido un accidente. Dos coches habrán chocado.

3) Habrá llovido. Un jardinero le habrá mojado.

4) Habrá tomado mucho el sol. No se habrá puesto crema protectora.

5) Habrá comido chocolate. Se habrá limpiado las manos en la ropa.

6) Se habrá puesto zapatos pequeños. Habrá caminado mucho con zapatos nuevos.

7) No la habrán regado. No habrá tenido luz suficiente.

8) Habrá habido un terremoto. Los dueños habrán decidido construirla de nuevo.

42

b) Yo, en tu lugar, / yo, que tú, haría la compra.

c) Yo, en tu lugar, / yo, que tú, saldría deprisa de aquí.

d) Yo, en tu lugar, / yo, que tú, no iría corriendo por la calle.

e) Yo, en tu lugar, / yo, que tú, me cortaría el pelo.

f) ¿Podrías abrir la ventana?

g) ¿Podrías darme mil pesetas?

h) ¿Podrías ordenar tu habitación?

i) ¿Podrías alcanzarme la sal?

j) ¿Podrías escribir la carta rápidamente?

43

c) Pedro pregunta si ella saldrá de casa tarde.

d) Pedro preguntó si ella saldría de casa tarde.

e) Pedro afirma que ella tendrá que enviarle la carta.

f) Pedro afirmó que ella tendría que enviarle la carta.

g) Pedro asegura que llamará por teléfono a Luisa pronto.

h) Pedro aseguró que llamaría por teléfono a Luisa pronto.

i) Pedro pregunta dónde recogerá ella el premio el lunes.

j) Pedro preguntó dónde recogería ella el premio el lunes.

44

b) Nosotros habíamos comido cuando Juan llegó.

c) El avión había despegado cuando llegamos al aeropuerto.

d) No había leído la pregunta cuando el profesor me preguntó.

e) El presidente había muerto cuando el público conoció la noticia.

f) Antonio se había afeitado cuando la bombilla se fundió.

g) Ana y Enrique habían vendido el coche cuando se compraron la casa.

h) La gente había salido de la ciudad cuando hubo un terremoto.

i) El director había firmado el contrato cuando descubrió el engaño.

j) Nos habíamos ido de vacaciones cuando nos enteramos de la buena noticia.

45

b) No, todavía no te lo he escrito.

c) No, todavía no nos lo han regalado.

d) Sí, ya me la han dado.

e) No, todavía no se la hemos contado.

f) Sí, ya se la he dicho.

g) No, todavía no nos lo han entregado.

h) Sí, ya se las han explicado.

46

a) el cometa	c) el capital	e) el frente	g) el orden	i) el cólera
b) la cometa	d) la capital	f) la frente	h) la orden	j) la cólera

1) la trompeta   3) la capital   5) la frente

2) un cometa   4) del cólera   6) el orden

47

a) iremos	e) asisto	i) habrá
b) explicó	f) se ha levantado	j) ha escrito
c) ha visto	g) estudiaron	
d) tendremos	h) hemos terminado	

48

a) están en	d) Estamos a	g) es de
b) son de	e) está en, está de	h) Está para
c) estamos / estaremos de	f) Son para	i) es de

49

1) son	6) hay	11) está	16) Hay
2) están	7) son	12) hay	17) está
3) son	8) son	13) está	18) están
4) Hay	9) es	14) son	19) Estoy
5) están	10) hay	15) soy	20) soy

50

1. b	5. a	9. b	13. b	17. b
2. b	6. c	10. a	14. b	18. c
3. c	7. b	11. c	15. a	19. a
4. a	8. c	12. c	16. b	20. a

51

a) Puede llover.

b) Pueden ser las cinco.

c) ¿Puedes prestarme cinco mil pesetas?

d) María tiene mal la garganta y no ha podido hablar durante la comida.

e) Ana puede tener treinta años.

f) ¿Puedes llamarme esta tarde?

g) ¿Puedes abrir la ventana?

h) Mañana puede haber muchos invitados en la fiesta.

i) Juan puede nadar cien metros en la piscina.

j) Luis puede llamar esta tarde por teléfono.

k) La niña podrá leer este libro de aventuras.

l) Tiene un brazo roto y no puede hacer la comida hoy.

La estructura *poder* + *infinitivo* tiene en español tres significados:

1) Probabilidad: a, b, e, h, j

2) Capacidad: d, i, k, l

3) Permiso: c, f, g

52

1) por	6) al / en	11) En	16) de
2) en	7) Al / En	12) en / al	17) de
3) por	8) de / en	13) por	18) en
4) al / en	9) En	14) por	19) a
5) a	10) para	15) En	

53

2) El periodista le pregunta cuál será el título de su siguiente película. M.ª Estrella le responde que su próxima película se llamará "Vivir y sufrir en la playa".

3) El periodista le pregunta si conoce ella al protagonista masculino. M.ª Estrella le responde que es un actor muy conocido en el teatro.

4) El periodista le pregunta si cantará ella en la película. M.ª Estrella le responde que cantará algún tema romántico.

5) El periodista le pregunta si le gusta a ella hacer películas tristes. M.ª Estrella le responde que quiere hacer alguna comedia, pero no le dan el papel.

6) El periodista le pregunta si rodará ella alguna película fuera de España. M.ª Estrella le responde que el próximo año viajará a Los Ángeles y trabajará con directores estadounidenses.

2) El periodista le preguntó cuál sería el título de la siguiente película. M.ª Estrella le respondió que su próxima película se llamaría "Vivir y sufrir en la playa".

3) El periodista le preguntó si conocía ella al protagonista masculino. M.ª Estrella le respondió que era un actor muy conocido en el teatro.

4) El periodista le preguntó si cantaría ella en la película. M.ª Estrella le respondió que cantaría algún tema romántico.

5) El periodista le preguntó si le gustaba a ella hacer películas tristes. M.ª Estrella le respondió que quería hacer alguna comedia, pero no le daban el papel.

6) El periodista le preguntó si rodaría ella alguna película fuera de España. M.ª Estrella le respondió que el próximo año viajaría a Los Ángeles y trabajaría con directores estadounidenses.

El presente de indicativo se convierte en *pretérito imperfecto de indicativo* en el pasado. El futuro simple se convierte en *condicional simple* en el pasado.

54

b) Manolo trabaja mucho para ganar dinero.
c) El fotógrafo hizo fotografías para enviarlas a la revista.
d) El abogado defiende al testigo para que salga de la cárcel.
e) El padre lee un cuento para que los niños se diviertan.
f) Envié una carta a Isabel para que tuviera noticias mías.
g) ¿Para qué has comprado un coche? Para viajar con él.
h) ¿Para qué me ha llamado Carmen? Para que vayas con ella al médico.
i) ¿Para qué andáis tan deprisa? Para llegar a tiempo.

1) para qué, para que   4) para que   7) para que
2) para   5) para qué, para
3) para que   6) para

55

b) Cuando Ana estudie en el colegio, tendrá muchos amigos.
c) Cuando salga con mi novia, me gustará pasear.
d) Cuando lleguemos a la estación, ellos ya estarán allí.
e) Cuando hagas la última fiesta, no la invitarás.
f) Cuando viajes en avión, te marearás.
g) Cuando vengan a la casa de Luis, le traerán bombones.
h) Cuando la llaméis por teléfono, no estará en casa.
i) Cuando Ángela hable con el médico, se pondrá muy nerviosa.

56

b) Si tienes mucho trabajo, no podrás salir.
c) Si el informático termina el programa, funcionará el ordenador.
d) Si Felipe me hablara, me haría feliz.
e) Si no me dieran el trabajo, me iría de la ciudad.
f) Si el médico te prohibiera fumar, dejarías el tabaco.
g) Si hubieras visitado a tus abuelos, no se habrían enfadado.
h) Si Antonio hubiera arreglado el coche, no habría tenido un accidente.
i) Si los asistentes al congreso no hubieran tomado café, se habrían quedado dormidos.

1) hubieras venido   3) hace   5) habrías ido   7) conocería
2) tendría   4) gustara   6) echarán

57

a) Quiero enviárselas / Se las quiero enviar.

b) ¡Dínosla!

c) Estuvo escribiéndolo toda la tarde / Lo estuvo escribiendo toda la tarde.

d) Voy a regalárselo / Se lo voy a regalar.

e) Estuve buscándolos en la piscina / Los estuve buscando en la piscina.

f) ¡Dáselos!

g) Me gusta fregarlos después de cada comida.

h) Vamos a escucharlas / Las vamos a escuchar.

i) ¡Ábrela!

j) ¡Cómpratelo!

58

a) vayamos	c) compren	e) viene	g) suban	i) ayude
b) sabe	d) esté	f) sienten	h) termines	j) tengamos

59

❏ Bloque 1

1. Cuando **éramos** jóvenes, viajábamos mucho.

2. Nosotros estudiamos para el examen.

3. Nos **gustan** las películas de miedo.

4. El libro lo he dejado en la estantería.

5. Vosotros llamasteis a los amigos / Ustedes **llamaron** a los amigos.

6. Ayer **estuvieron** en la fiesta de cumpleaños de Ana.

7. Este mes **ha hecho** mucho calor y ahora las temperaturas están más bajas.

8. A Ana le gusta ir en barco.

9. El agua no era buena.

10. El padre dijo que toda su fortuna era **para** su hijo.

11. ¡No **fuméis** en esta sala!

12. Descansaré **por** 20 minutos.

13. ¡**Pongan** ustedes los pies sobre esta mesa!

14. Le recomiendo que **vaya** a ver la película.

15. ¿Has comprado ya queso? Sí, ya **lo** he comprado.

16. Era un chico bueno y se convirtió **en** un diablo.

17. ¿Cuántas personas fueron a la fiesta? **Irían** unas veinte.

18. Llegaron las vacaciones y **las** aulas se quedaron pronto vacías.

19. Es posible que **llueva** esta tarde.

20. La película **era** aburrida y el público se durmió.

❏ **Bloque 2**

21. Cuando **estudie** la lección, me pondré música.

22. ¿Dónde has visto a tus amigos? **Los** he visto en el cine.

23. Espero que nos **veamos** pronto en la piscina.

24. Yo, en tu lugar, **escribiría** al periódico.

25. **Está** la gente en la sala de espera / Hay -- gente en la sala de espera.

26. El coche se **lo** regaló por su cumpleaños.

27. Cuando **visites** a tus padres, les darás saludos de mi parte.

28. Si **hubieras** llamado a tiempo, te habríamos esperado.

29. ¡**Démelo** rápidamente!

30. Subieron **al** barco para ir de viaje a una isla.

31. A Fernando **le** interesa coleccionar piedras.

32. Dentro de cien años, **habrán** desaparecido muchas especies animales.

33. El futbolista dijo que **cambiaría** de equipo.

34. ¿Me has comprado el pan? Sí, **te lo** he comprado.

35. El capital de esta empresa es de 1.000 millones de dólares.

36. La semana que viene nos **iremos** de vacaciones.

37. Cuando te llamaron, estabas **de** viaje.

38. La policía le preguntó si **conocía** a la víctima.

39. El padre compró cuentos para **que** sus hijos los **leyeran**.

40. A mis amigas **les** gusta bailar en las discotecas.

60

1. c	6. b	11. b	16. c
2. c	7. b	12. a	17. c
3. b	8. b	13. a	18. c
4. a	9. c	14. c	19. b
5. c	10. b	15. b	20. b